Au moment de l'**heure des histoires**, tandis que l'un regarde les images et l'autre lit le texte, une relation s'enrichit, une personnalité se construit, naturellement, durablement.

Pourquoi ? Parce que la lecture partagée est une expérience irremplaçable, un vrai point de rencontre. Parce qu'elle développe chez nos enfants la capacité à être attentif, à écouter, à regarder, à s'exprimer. Elle élargit leur horizon et accroît leur chance de devenir de bons lecteurs.

Quand ? Tous les jours, le soir, avant de s'endormir, mais aussi à l'heure de la sieste, pendant les voyages, trajets, attentes… La lecture partagée permet de retrouver calme et bonne humeur.

Où ? Là où l'on se sent bien, confortablement installé, écrans éteints… Dans un espace affectif de confiance et en s'assurant, bien sûr, que l'enfant voit parfaitement les illustrations.

Comment ? Avec enthousiasme, sans réticence à lire « encore une fois » un livre favori, en suscitant l'attention de l'enfant par le respect du rythme, des temps forts, de l'intonation.

ISBN : 978-2-07-063329-6
© Gallimard Jeunesse, 2005, pour le texte et les illustrations,
2010, pour la présente édition
Numéro d'édition : 238344
Loi n° 49-956 du 16 juillet 1949
sur les publications destinées à la jeunesse
Premier dépôt légal : mai 2010
Dépôt légal : août 2011
Imprimé en France par I.M.E.
Maquette : Barbara Kekus

IMPRIM'VERT

PEFC
PEFC/10-31-1093

Pef
Mis en couleur par Geneviève Ferrier

L'ami vert cerf du prince de Motordu

GALLIMARD JEUNESSE

Assis sur le trône de la salle à danger
de son magnifique chapeau, le prince de Motordu
était tout étourdi par les gesticulations
de ses deux enfants :
– Arrêtez-donc de tourner autour de moi
en agitant vos mains !
– Deux mains ! Deux mains... c'est deux mains !
criait Marie-Parlotte.

– Deux mains! Deux mains… c'est deux mains!
hurlait le petit Nid-de-Koala.
– On ne dit pas : «c'est deux mains»,
rectifia leur papa, mais : «ce sont deux mains»
que je vois là! Voilà tout! Et maintenant, au lit!
Oui, demain, je vous emmène aux champs
mignons ou à la pêche au verre.

Les deux enfants du prince embrassèrent leur père
et filèrent se coucher dans la plus haute chambre
du chapeau. Ils se glissèrent sous la chouette
de leur nid douillet, mais eurent bien du mal
à s'endormir.
– Il l'a dit, il l'a dit ! jubila Marie-Parlotte.
– Il a dit quoi, Papa ? bâilla Nid-de-Koala.
– Il a dit demain, oui, demain ! Il ne se doute
de rien, pouffa Marie-Parlotte.

Et elle ajouta :
– Bon, Nid-de-Koala, tu te rappelles par où
il faut passer ?
– Mais oui, s'impatienta son frère. En sortant
du chapeau, on prend le chemin, puis,
à droite, une petite année !

– Exact ! fit Marie-Parlotte. Une année de puces
pour Papa. Et au bout de cette année,
une belle surprise attend notre prince de Motordu.
– Tu crois qu'il acceptera de nous suivre ?
s'inquiéta Nid-de-Koala.
– Mais oui, ne t'en fais pas !
Et les deux enfants fermèrent les yeux tandis que,
beaucoup plus haut, les étoiles, à régner,
s'apprêtaient…

Le lendemain matin, ils retrouvèrent leur papa,
son panier à champs mignons et sa canne à bêche
au verre.
– Laisse tomber tout ça, Papa, ordonna
Marie-Parlotte. Aujourd'hui, donne-nous
tes deux mains ! Nous t'emmenons en promenade.
Tiens, prenons cette année…

Ils furent bientôt dans la forêt, admirant
les magnifiques chaînes dont les planches
abritaient quantité d'oiseaux.
– Mais où m'emmenez-vous ? s'inquiétait Motordu.
Écoutez, j'entends galoper !

Ils furent aussitôt entourés par une petite troupe
de cendriers. L'un d'eux grogna :
– Interdit de fumer en forêt !
– Mais nous ne fumons pas ! protestèrent
nos trois amis.
– On ne sait jamais, fit un cendrier.
Dans le cas contraire, faudra nous donner
vos cendres et vos sales petits mégots !

– C'est bizarre, dit encore le prince,
j'entends aussi comme de petits rires
et des bruits de pas sur les feuilles.
Il se retourna, mais ne vit personne.

Pourtant, se déplaçant
à l'abri des chaînes, il y avait
bel et bien des gens.

La princesse Dézécolle, le père et la mère
de Motordu, les gardes du chapeau, les coussins
de la famille et de nombreux habits suivaient
le prince de Motordu et ses deux enfants.

– Pas de souci, Papa,
le rassura Marie-Parlotte.
Regarde, les choupettes
sont de bonne humeur,
et les chaudes-souris

se rafraîchissent avec l'éventail
de leurs ailes.
– Tout de même, quel endroit
mi-sérieux ! remarqua le prince.
– Mi-amusant aussi, je te le promets,
Papa, dit Nid-de-Koala.

Soudain, Marie-Parlotte se mit à courir.
– Ne te perds pas, cria Motordu,
il fait de plus en plus ombre !
– Pas grave, lui répondit sa fille, j'ai ma boîte
d'amulettes, elle me portera bonheur !
Au bout de cette mystérieuse année,
une lueur éclaira doucement le visage
du prince de Motordu.

Devant lui se tenait un magnifique cerf de couleur
verte dont la ramure était garnie de rougies allumées
par Marie-Parlotte :
– Et voilà, Papa, j'espère que tu as enfin compris !
Alors, tous ceux qui, jusqu'ici, se cachaient
derrière les arbres apparurent, applaudirent
et crièrent :

– *Bon ami vert cerf, prince de Motordu !*
– *Joyeux happy vert cerf,*
Joyeux happy vert cerf, Tordiou !

– Ainsi donc, vous êtes mon ami vert cerf,
constata le prince. Vous êtes marié ?
– Oui, répondit le grand animal.
À une riche qui m'a donné cent faons !
– Vous pourriez compter en euros !
plaisanta Motordu.
– Allez, les enfants, faites votre petit discours,
ordonna la princesse Dézécolle.
Marie-Parlotte et le petit Nid-de-Koala déplièrent
chacun une jolie feuille et prirent la parole.

Cher papa,

nous t'aimons beaucoup.

Jamais tu ne nous donnes de flaques,

même quand il pleut.

Jamais tu ne nous bottes les fesses

quand elles sont toutes sales de terre.

À la maison tu mets toujours le loup vert.

Tu casses souvent l'aspirateur en sifflotant.

Tu n'oublies jamais de sortir le singe

de la machine à baver

(et tu n'attends pas que le ciel

fasse pluie-pluie

pour laver la toiture ...)

Mais tu es surtout gentil

avec la princesse Dézécolle

en lui faisant des bisous dans le doux.

POUR TOUTES CES RAISONS,

cher papa,

nous t'aimons encore plus et

nous te souhaitons

UN BON AMI VERT-CERF

Marie - Parlotte

et

Jeannot NID-DE-KOALA

– Les rougies, les rougies, crièrent famille
et amis réunis.
Le prince de Motordu gonfla sa poitrine
et étreignit les rougies.
– Bravo, Papa, applaudit Marie-Parlotte,
et maintenant, ton cadeau !

Le prince se pencha vers les sabots du cerf puis
se redressa. Il tenait entre ses mains
un magnifique baquet cadeau.
– Regarde à l'intérieur, Papa ! l'encouragea
Nid-de-Koala.
– Motordu plongea les mains dans le baquet
et en sortit deux magnifiques crapauds.

– Oh, comme je suis heureux ! Des crapauds,
des crapauds tout neufs pour mon magnifique
chapeau ! Et ce n'est pas tout.
Regardez, il y a aussi une brosse
pour me brosser les ans !
– Normal, pouffa Marie-Parlotte,
c'est ton ami vert cerf !

Alors, le prince de Motordu embrassa tout le monde.
Un de ses nobles amis, le Marron de La Châtaigne,
lui posa une question :
– Ça vous fait quelle nage, cher prince ?
Le prince agita ses jambes, agita ses bras, agita ses
mains et enfin ses doigts, faisant mine de compter.
– Mais enfin, qu'est-ce qui vous prend ?
s'inquiéta le Marron.
– Vous me demandez quelle nage j'ai ? Eh bien,
je compte les ans, les dates, vous donnant ainsi
une leçon de datation !

Tout le monde applaudit et reprit le chemin
du chapeau. La princesse Dézécolle s'étonna
soudain :
– Personne n'a vu Marie-Parlotte ?
Il faut dire que la sœur du petit Nid-de-Koala
était revenue en arrière pour profiter encore
de l'ami vert cerf. Mais il avait disparu !
– Dommage, fit-elle, il n'est plus là. L'ami vert cerf
de Papa est passé. Bah, on le fêtera encore
l'année prochaine ! Ce ne sera plus le même,
mais un autre ami vert cerf.
Et Marie-Parlotte rejoignit tous les invités.

Elle aperçut sa maman, la princesse Dézécolle,
qui sautait de joie d'un pied sur l'autre, laissant
admirer ses bonds cheveux tandis que Nid-de-Koala
portait fièrement le baquet cadeau.

Le prince de Motordu, quant à lui,
s'était drapé dans ses crapauds tout neufs.
«Encore heureux qu'on ne m'ait pas offert
d'aigres nouilles», se dit-il à lui-même,
mais il se réjouit en proclamant haut et fort :
– Quel bon ami vert cerf, j'ai un an de plus,
mais je me sens de vieux en vieux !

L'auteur-illustrateur

Né en 1939, fils de maîtresse d'école, **Pef** a vécu toute son enfance
enfermé dans diverses cours de récréation. Il a pratiqué les métiers
les plus variés comme journaliste ou essayeur de voitures de course.
À 38 ans et deux enfants, il dédie son premier livre *Moi, ma grand-
mère...* à la sienne, qui se demande si son petit-fils sera sérieux un
jour. C'est ainsi qu'il devient auteur-illustrateur pour la joie des
enfants et invente en 1980 le prince de Motordu, personnage qui
devint rapidement une véritable star.

Lorsqu'il veut raconter ses histoires, Pef utilise deux plumes, l'une
écrit et l'autre dessine. Depuis près de vingt-cinq ans, collectionnant
les succès, Pef parcourt inlassablement le monde entier à la recherche
des glaçons et des billes de toutes les couleurs, de la Guyane à la
Nouvelle-Calédonie, en passant par le Québec ou le Liban.

Il se rend régulièrement dans les classes pour rencontrer son public
à qui il enseigne la liberté, l'amitié et l'humour.

L'heure des histoires

Dans la même collection

n° 2 *La sorcière Camembert*
par Patrice Leo

n° 3 *L'oiseau qui ne savait pas chanter*
par Satoshi Kitamura

n° 4 *La première fois que je suis née*
par Vincent Cuvellier
et Charles Dutertre

n° 5 *Je veux ma maman!*
par Tony Ross

n° 6 *Petit Fantôme*
par Ramona Bădescu
et Chiaki Miyamoto

n° 7 *Petit dragon*
par Christoph Niemann

n° 8 *Une faim de crocodile*
par Pittau et Gervais

n° 9 *2 petites mains et 2 petits pieds*
par Mem Fox
et Helen Oxenbury

n° 10 *La poule verte*
par Antonin Poirée
et David Drutinus

n° 12 *Peau noire*
peau blanche
par Yves Bichet
et Mireille Vautier

n° 13 *Il y a un cauchemar*
dans mon placard
par Mercer Mayer

n° 14 *Clown*
par Quentin Blake

n° 18 *L'énorme crocodile*
par Roald Dalh
et Quentin Blake

n° 19 *La belle lisse poire*
du prince de Motordu
par Pef

n° 20 *Le Petit Poucet*
par Charles Perrault
et Miles Hyman

n° 22 *Gruffalo*
par Julia Donaldson
et Axel Scheffler

n° 23 *Motordu papa*
par Pef

n° 28 *Oh là là !*
par Colin McNaughton

n° 29 *Le chat botté*
par Charles Perrault
et Fred Marcellino

n° 31 *Le grand secret*
par Vincent Cuvellier
et Robin

n° 32 *Pierre et le loup*
par Serge Prokofiev
et Erna Voigt

n° 33 *L'extraordinaire
chapeau d'Émilie*
par Satoshi Kitamura

n° 34 *Capitaine Petit Cochon*
par Martin Waddell
et Susan Varley